CLOW

QUAND LE SCEAU SERA BRISÉ

SUR CE MONDE S'ABATTRA LE FLÉAU...

Card Captor Sakura, Vol. 6
a été réalisé par

CLAMP

SATSUKI IGARASHI
NANASE OHKAWA
MICK NEKOI
MOKONA APAPA

ÇA VA ?

VROOF

VLOUF

11

VROOOOF

VOOOOF

PSST!

QU'EST-
CE QUE
JE FAIS
?

JE NE
PEUX PAS
UTILISER MA
MAGIE DEVANT
YUKITO QUAND
MÊME
!?

?

JE
SUIS
DÉSOLÉ
!

13

FLOP

WINDY NE PEUT RIEN CONTRE LUI !

KÉLO ?

SHAII
CLAA

VLOOF

ÇA VA
ALLER
?

JE
NE SAIS
PAS...

GRUUUUU

LE FEU
ET L'EAU
ONT UNE
FORCE
ÉGALE.

À PRÉSENT, TOUT REPOSE SUR LA MAGIE.

C'EST LA FORCE DE SAKURA QUI FERA PENCHER LA BALANCE.

ZASH ZASH ZASH ZASH

DOM DOM DOM DOM

ATTEN-TION !

24

RESSAISIS-TOI, KÉLO !

KÉLO !

C'EST... PAS PLUS MAL !

MON SYMBOLE EST LE SOLEIL...

JE SUIS DONC LIÉ AU FEU... MA PRÉSENCE NE FAIT QU'AUGMENTER SON POUVOIR !

FINALEMENT, C'EST UNE CHANCE QUE LA CARTE DU FEU NE SOIT PAS APPARUE EN PREMIER !

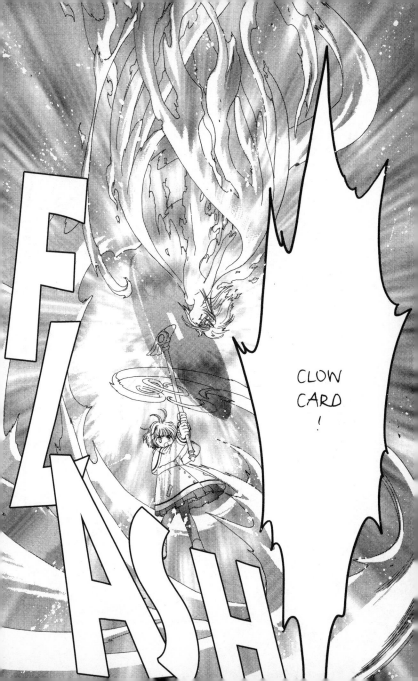

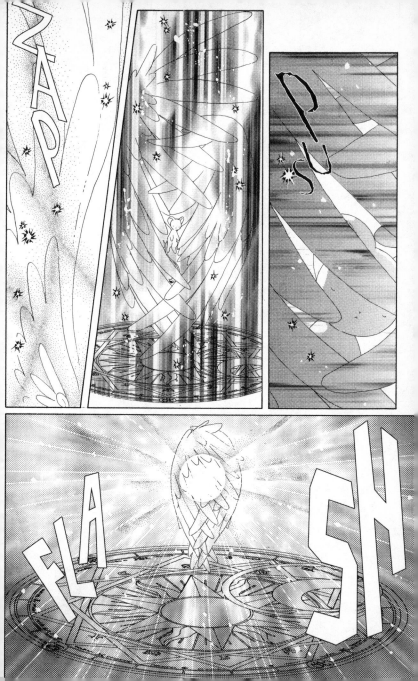

EN FAIT... TU N'ES VRAIMENT PLUS LE MÊME PETIT KÉLO...

C'EST CLASSE !

JUSTE À TEMPS !

JE SUIS CONTENT QUE CETTE CARTE SOIT FIREY !

ET PUIS J'AURAIS REPRIS MA FORME AVANT LUI !

JE POURRAIS AU MOINS T'AIDER À ATTRAPER LA DERNIÈRE CARTE.

AVANT QUI ?

42

43

47

ÇA VA
ALLER.

PETITE
KINOMOTO...
NON
!

BROOOO

TACATAC

QUOI ?
UN TREM-
BLEMENT
DE TERRE
?!

C'EST
ÉTRANGE,
AU BUREAU,
LA TERRE NE
TREMBLE PAS
!

OH!

CLANG CLANG

TACATAC

HUM

EST-CE
QUE PAR
HASARD...

CE
SERAIT
UNE
CARTE
!

QU'Y A-T-IL, TOMOYO ?

JE SORS UN MOMENT !

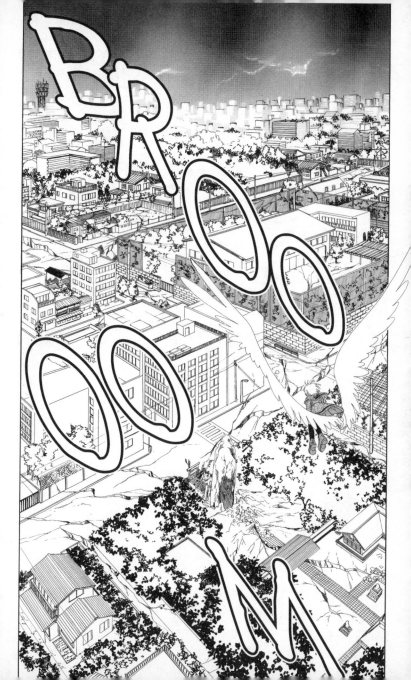

LA VILLE VA FINIR PAR ÊTRE DÉTRUITE !

GROOOOOOO...O

SERAIT-CE LE FLÉAU QUI DEVAIT ARRIVER UNE FOIS LE SCEAU DES CARTES BRISÉ ?

PAS DU TOUT !

C'EST JUSTE L'ŒUVRE DE LA CARTE TERRE.

ZBASH

CRIC CRIC

IL SE REFORME !

KÉLO ! FIREY EST AUSSI UNE CARTE OFFENSIVE, DIS ?

EUH...

OUI, MAIS...

67

ALORS, KÉLO, SI TU RESTES PRÈS DE LA CARTE DE LA TERRE...

ELLE DEVIENT PLUS PUIS-SANTE !

WOÉ ÉÉÉ!

EN PLUS, MES FORCES SONT REVENUES !

POUR VAINCRE LA TERRE, IL FALLAIT UTILISER LE BOIS !

LA TERRE EST RETENUE PAR LES ARBRES.

SAKURA, TU CONNAIS LA RELATION DES CINQ PILIERS ?

TU NE SAVAIS PAS ?

ALORS, COMMENT TU AS PENSÉ À WOOD ?

KÉZAKO ?

LE SOL ÉTAIT CRAQUELÉ À CAUSE DE EARTHY MAIS LES ARBRES N'ÉTAIENT PAS TOUCHÉS.

JE ME SUIS DIT QU'IL Y AVAIT QUELQUE CHOSE.

CONTENTE D'AVOIR MIS DANS LE MILLE !

LA RELATION DES CINQ PILIERS...

DANS LA CHINE ANCIENNE, ON REPRÉSENTAIT LES LOIS DE L'UNIVERS SOUTENUES PAR CINQ COLONNES...

LE BOIS, LE FEU, LA TERRE, LE MÉTAL ET L'EAU. CHACUN EN CORRÉLATION AVEC LES AUTRES.

LE BOIS GAGNE SUR LA TERRE.

LES ARBRES POUSSENT EN EFFET SUR LA TERRE !

LES CARTES DE CLOW CONTIENNENT UN PEU DE MAGIE ORIENTALE.

SUPER ! LA ROUTE EST REDEVENUE COMME AVANT !

ELLE A RÉUSSI À TROUVER ALORS QU'ELLE IGNORAIT LA RELATION DES CINQ PILIERS !

J'AI VU JUSTE, ET J'AI BIEN REMPLI MON RÔLE DE SÉLECTEUR.

WOÉ ?

TU VAS BIEN ?

OUI !

EH BIEN !

BRAVO. TU ES TRÈS FORTE !

PROP

AVEC CELLE-LÀ, J'AI RASSEMBLÉ TOUTES LES CLOW CARDS !

MERCI !

SAKURA, SAKURA !

JE T'AI CHERCHÉE PARTOUT !

TU VIENS DE CHEZ TOI ?

TOMOYO !

J'AI TOUTES LES CARTES !

SNIF

SNIF

EUH... TOMOYO ?

OOOOH !

DIRE QUE J'AVAIS CONÇU DES VÊTEMENTS !

JE N'AI MÊME PAS FILMÉ LA DERNIÈRE VICTOIRE DE CARD CAPTOR SAKURA !

C'EST L'ÉCHEC DE TOUTE UNE VIE.

EH,

OH !

JE LES METTRAI TES VÊTEMENTS,

DIS !

HÉ ! REPRENDS-TOI !

86

MAIS...

POURQUOI ON FAIT ÇA ?

SANCTUAIRE TSUKIMINE

AUJOURD'HUI, C'EST UN JOUR MÉMORABLE !

C'EST LE JOUR OÙ TOI, SAKURA, TU AS RÉUNI TOUTES LES CARTES.

DES VÊTEMENTS APPROPRIÉS ET LA PHOTO S'IMPOSENT !

ALLEZ !

PRENDS LA POSE SAKURA !

C'EST FOU, ON A TOUTES LES CARTES...

ET KERBEROS N'A PAS L'AIR DE S'EN RÉJOUIR DU TOUT !

TIENS, C'EST VRAI !

88

YUKITO,

IL NE S'EST PAS ENCORE RÉVEILLÉ...

AU FAIT, TU N'AS PAS ÉCRIT TON NOM SUR LA DERNIÈRE CARTE ?

EH BIEN C'EST L'OCCASION !

FLIP

SAKURA...

NON, PAS ENCORE !

SI TU ÉCRIS TON NOM, CELA MARQUE LA FIN DE LA CAPTURE DES CARTES !

À SUIVRE

MAIS
QUI...

L'AUTRE
PROTECTEUR
DES CLOW
CARDS
!

MAIS SI JE RÉFLÉCHIS BIEN...

ON NE S'EST JAMAIS CROISÉS QUAND TU ÉTAIS YUKITO.

À CE MOMENT-LÀ, LA PRÉSENCE DE LA LUNE ÉTAIT OPPRESSANTE !

MAIS...

JE N'AI PAS PU ME CONCENTRER SUR TOI À CAUSE DE MADEMOI-SELLE...

NOUS AVONS ÉTÉ RÉUNIS POUR LA PREMIÈRE FOIS DANS CE THÉÂTRE.

106

SUP

C'EST LA PREMIÈRE FOIS QUE JE TE RENCONTRE SOUS CES TRAITS !

KERBEROS, LE SÉLECTEUR, VOIT EN TOI LA PROCHAINE MAÎTRESSE DES CARTES...

YUKITO !

SAKURA A DE QUOI TE TENIR TÊTE !

ARRÊTE,
LI ! SI SAKURA
REÇOIT UNE AIDE
EXTÉRIEURE, ELLE
SERA DÉCLARÉE
PERDANTE
!

ALORS YUKITO ÉTAIT INTIMEMENT LIÉ AUX CLOW CARDS ?

JE N'AI JAMAIS SENTI LA FORCE DE SON AURA !

MAIS PLUTÔT CELLE DU FRÈRE DE SAKURA !

JE SUIS VENU DANS CETTE VILLE EN ATTENDANT QUE QUELQU'UN OUVRE LE LIVRE.

YUÉ ÉTANT L'AMI DE TOYA, IL EST RESTÉ À SES CÔTÉS DEPUIS LE DÉBUT.

ET TOYA POSSÈDE UNE CERTAINE FORCE...

PAS AUTANT QUE SAKURA, MAIS QUAND MÊME !

YUÉ A FAIT DE MÊME ET IL S'EST RAPPROCHÉ DE LA PERSONNE QUI DÉGAGEAIT LE PLUS DE FORCE.

IL ATTENDAIT QUE LE PROCHAIN MAÎTRE, CHOISI PAR MES SOINS, FINISSE PAR CAPTURER LES CARTES.

ALORS IL SAVAIT AUSSI POUR LE LIVRE ?

YUKITO AURAIT CHOISI D'ÊTRE L'AMI DU FRÈRE DE SAKURA PARCE QUE C'EST ELLE QUI A OUVERT LE LIVRE ?

121

NON, CE N'EST QU'UNE COÏNCIDENCE !

MAIS YUKITO SAVAIT DEPUIS LE DÉBUT,

QUE SAKURA ALLAIT RASSEMBLER LES CLOW CARDS, NON ?

YUKITO N'AVAIT DONC PAS CONSCIENCE QU'IL ÉTAIT YUÉ !

PAS VRAI- MENT !

YUÉ NE DEVAIT PAS SE RÉVEILLER TANT QUE SAKURA N'AURAIT PAS CAPTURÉ LA DERNIÈRE CARTE.

SINON LA PETITE ET MOI, ON L'AURAIT DÉCOUVERT !

MAIS,

LI ET SAKURA SE SENTAIENT...

ATTIRÉS PAR YUKITO, NON ?

CEUX DU MÊME SANG QUE CLOW OU CEUX QU'IL A CHARGÉS D'UNE MISSION,

SONT NATURELLEMENT ATTIRÉS PAR LES PROTECTEURS DES CARTES.

PARCE QUE CEUX QUI POSSÈDENT LA FORCE SONT ATTIRÉS PAR PLUS FORTS QU'EUX !

JUSTEMENT, JE VOULAIS TE LE DEMANDER...

QUEL EST CE RÔLE ?

J'AI QUELQUE CHOSE À TRANSMETTRE.

127

LE SCELLÉ DES CARTES SE BRISERA À NOUVEAU...

LE FLÉAU QUE RENFERME LES CARTES,

N'EST NI UNE CATASTROPHE ÉCOLOGIQUE NI UN BOULE-VERSEMENT CÉLESTE !

MAIS...

POUR CERTAINS, IL EST BIEN PIRE QUE CELA !

ET ELLES SE CHERCHERONT UN NOUVEAU MAÎTRE DANS UN AUTRE ENDROIT.

ALORS,

ON VA TOUS OUBLIER TOUS CEUX QU'ON AIME ?

TOMOYO,

SHAOLAN...

YUKITO ET MON GRAND FRÈRE !

135

JE NE PENSE PAS POUVOIR ATTAQUER...

KÉLO !

MÊME SI JE LE RESSENS DIFFÉREMMENT !

JE SENS QU'IL S'AGIT DE YUKITO !

ET PUIS YUÉ EST FINALEMENT TON ALTER EGO, KÉLO...

JE VEUX ÊTRE SON AMIE !

MAIS C'EST ABSURDE D'ESPÉRER GAGNER SANS ATTAQUER !

EN PLUS,

SI TU L'AFFRONTES AVEC UNE DES CARTES AUXQUELLES IL EST LIÉ, CELA SERA ANNULÉ OU RENVOYÉ SUR TOI !

JE NE SAIS PAS POURQUOI C'EST LA BONNE SOLUTION,

MAIS...

JE VAIS TOUT FAIRE POUR Y ARRIVER !

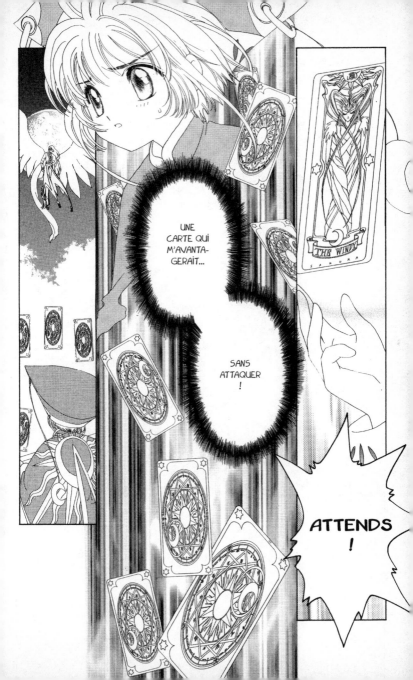

SHA
SHA
SHA
SHA

KYAAA!!

SAKURA !

LA VÉGÉTATION EST DU CÔTÉ DE LA LUNE...

MÊME SI KERBEROS NE TE L'A PAS DIT...

CAR KERBEROS,

NE DOIT TRANSMETTRE QU'UN MINIMUM D'INDICES AU MAÎTRE DES CARTES ASPIRANT.

BRISER DE SOI-MÊME UNE MAGIE RÉFLÉCHIE...

MAIS SEUL CLOW SEMBLE CAPABLE DE VAINCRE LE JUGE !

YUÉ,

TU PARLES DE CLOW ?

151

POURQUOI AURAIT-IL...

DE LA PART DE CLOW ?

QU'EST-CE QUE CELA SIGNIFIE ?

SHU

CLOW LEAD EST DÉCÉDÉ ICI, AU JAPON !

LES CLOW CARDS, UNE FOIS LEUR MAÎTRE MORT, FURENT ALORS

DÉLIVRÉES DU SCEAU ET ÉPARPILLÉES !

CHACUNE ATTENDAIT QU'UN NOUVEAU MAÎTRE APPARAISSE !

N'EST-CE PAS ?

HUM...

CLOW, QUI ÉTAIT AUSSI VOYANT, SAVAIT APPAREMMENT OÙ ET QUAND IL DEVAIT RENDRE L'ÂME.

IL SAVAIT AUSSI QUAND ET OÙ LE PROCHAIN MAÎTRE APPARAÎTRAIT, AINSI QUE L'ENDROIT OÙ REPOSERAIT LE LIVRE.

IL A RENCONTRÉ BIEN DES GENS, TRAVERSÉ BIEN DES VILLES...

IL EST ÉGALEMENT VENU ICI À TOMOEDA !

154

IL SAVAIT QUE LE MAÎTRE QUI LUI SUCCÈDERAIT SERAIT UNE ADORABLE FILLETTE...

HABITANT LA VILLE DE TOMOEDA.

SINON IL N'AURAIT PAS CRÉÉ CETTE BAGUETTE TOUTE MIGNONNE ET TOUTE ROSE, DIS !

WOÉ !

MAIS IL SAVAIT AUSSI QUE LES DEUX PROTECTEURS AURAIENT DU MAL À ACCEPTER UN NOUVEAU MAÎTRE !

SURTOUT LE JUGE, CELUI QUI EST INVESTI DU POUVOIR DE LA LUNE. IL SAVAIT QUE ÇA SERAIT PLUS DIFFICILE POUR LUI.

ALORS,

IL DÉCIDA DE LAISSER QUELQUE CHOSE POUR AIDER LE PROCHAIN MAÎTRE...

CE SERAIT...

CETTE CLOCHETTE ?

ELLE A ÉTÉ FABRIQUÉE AU JAPON PAR CLOW LEAD PEU AVANT SA MORT.

IL L'A LAISSÉE DANS LE SANCTUAIRE TSUKIMINE, À DEUX PAS DE CELLE QUI DEVIENDRAIT LE PROCHAIN MAÎTRE.

CLOW...

IL SAVAIT ÉGALEMENT QUE QUELQU'UN POSSÉDANT DES POUVOIRS TELS QUE LES MIENS...

NAÎTRAIT DANS CE SANCTUAIRE ET QU'IL COMPRENDRAIT L'EXISTENCE DE CETTE CLOCHETTE.

CLOW ...

QUEL JUGE JE FAIS...

AU FINAL, CLOW A DÉJÀ DÉCIDÉ QUI SERAIT LE PROCHAIN MAÎTRE !

IL CONNAISSAIT ÉGALEMENT TRÈS BIEN NOS TRAITS DE CARACTÈRE À TOUS LES DEUX.

IL SAVAIT AUSSI QUE LE FLÉAU NE S'ABATTRAIT PAS SUR CETTE TERRE !

IL N'Y AVAIT PAS DE HASARD !

NI DANS LE FAIT QUE JE REPOSAIS CHEZ SAKURA,

NI DANS LE FAIT QU'ELLE OUVRIRAIT LE LIVRE, ET QUE SOUS UNE FORME HUMAINE JE SERAIS AUPRÈS D'ELLE.

QUI
EST-CE
?

ENTENDS-
TOI BIEN AVEC
KERBEROS,
YUÉ ET LES
CARTES
!

SERAIT-CE
CLOW
?

JE PENSE QUE JE VAIS MAINTENANT VOUS CAUSER QUELQUES SOUCIS !

MAIS AVEC TOI, TOUT IRA BIEN !

HEIN ?

CLIP

QU'EST-CE QUE JE FAIS ICI ?

AH ! EUH...

YUKITO NE CONSERVE PAS LA MÉMOIRE DE YUÉ !

PSST

PSST

VOUS
REPARTEZ
?

AU FAIT,
PROFESSEUR
TSUTSUMI REVIENT
DE SES CONGÉS.

AH BON
?

OUI,
J'AI REMPLI
MA MISSION
!

JE VAIS
FINIR MES
ÉTUDES À
L'ÉTRANGER.

MERCI
DU FOND
DU CŒUR
!

IL Y A ENCORE QUELQUE CHOSE QUE JE NE COMPRENDS PAS...

POURQUOI LI DEVIENT TOUTE ROUGE DÈS QUE YUKITO L'APPROCHE, SE BAGARRE AVEC KÉLO ET FUIT MLLE MIZUKI ?

SAKURA, ELLE, EST TOUTE CHOSE PRÈS D'EUX ET S'ENTEND BIEN AVEC KÉLO !

LI UTILISE BEAUCOUP LA MAGIE LUNAIRE, ALORS IL RÉAGIT TRÈS FORT EN PRÉSENCE DE YUÉ...

ET SAKURA, ELLE, EMPLOIE UNE MAGIE ÉQUILIBRÉE ENTRE LA LUNE ET LE SOLEIL.

SI LE MINUS FUYAIT MADEMOISELLE MIZUKI, C'EST PARCE QUE SA MAGIE, BIEN QUE LUNAIRE, EST D'UN TYPE DIFFÉRENT DE CELLE DES CARTES.

DE PLUS, MADEMOISELLE MIZUKI PORTAIT L'INSTRUMENT QUE CLOW AVAIT CONÇU POUR VAINCRE LE JUGE YUÉ.

IL SEMBLE QUE LES DESCENDANTS DE CLOW NE PEUVENT DEVENIR AMIS AVEC CEUX QUI USURPENT LA MAGIE LUNAIRE.

MAIS...

POUR SAKURA, MADEMOISELLE MIZUKI ÉTAIT PRESSENTIE COMME UN ALLIÉ !

SANS S'EN RENDRE COMPTE, ELLE ÉTAIT ATTIRÉE PAR CELA.

ALORS, SI JE RESSENTAIS LA MÊME IMPRESSION DE BIEN-ÊTRE EN PRÉSENCE DE YUKITO ET DE MLLE MIZUKI...

C'ÉTAIT PARCE QUE TOUS LES DEUX ME DONNAIENT DE LA FORCE ?

LE MAÎTRE DES CARTES DOIT S'ENTENDRE AUSSI BIEN AVEC SES DEUX PROTECTEURS !

WU ?

MAIS...

YUKITO EST EN FAIT YUÉ !

MERCI !

TOUT EST RANGÉ

OUI ?

COLIC COLIC

MAIS QUE FAISAIS-JE ÉVANOUI AU SANCTUAIRE ?

AH HA HA HA HA

DIS !

TU PORTES ENCORE TON UNIFORME DE TRAVAIL, CELA FAIT DONT UN MOMENT QUE TU ES ICI AU SANCTUAIRE PRÈS DE NOUS...

BOF... TU ÉTAIS LÀ, KAHO ?

ET PUIS SAKURA L'A DIT : TOUT IRA BIEN...

GRIP

TU SAIS DEPUIS VOTRE PREMIÈRE RENCONTRE QUE YUKITO N'EST PAS VRAIMENT HUMAIN.

PAREIL POUR CETTE PELUCHE ORANGE.

HUM...

MÊME SI C'EST LE CAS, IL EST TRÈS GENTIL !

N'EST-CE PAS PAS TOYA ?

MAIS TU DEVRAIS VITE LUI DIRE CE QUE TU EN PENSES !

HUF

TAPA

À BIENTÔT !

JE REVIENDRAI VOUS VOIR !

VROOOOM

JE SUIS SÛRE QUE C'ÉTAIT CLOW...

« JE PENSE QUE JE VAIS MAINTENANT VOUS CAUSER QUELQUES SOUCIS. »

« JE VAIS » ...

QUE VOULAIT-IL DIRE PAR LÀ ?

EH, ON EST PARTIS !

AH, ATTENDEZ-MOI !

❀À SUIVRE❀

Titre original :
CARD CAPTOR SAKURA, vol. 6
© 1998 CLAMP
All Rights Reserved
First published in Japan in 1998
by Kodansha Ltd., Tokyo
French publication rights
arranged through Kodansha Ltd.
French translation rights : Pika Édition

Traduction et adaptation : Reyda Seddiki
Lettrage : Docteur No

L'édition originale de cet ouvrage
a été publiée dans le sens de lecture
japonais. Les images ont été retournées
pour l'édition française.

© 2000 Pika Édition
ISBN : 2-84599-072-3
Dépôt légal : octobre 2000
Imprimé en Belgique par Walleyndruk
Diffusion : Hachette Livre